HALLO
ANNA

Hallo Anna

Olga Swerlowa

D1200154

2

Deutsch für Kinder
Lehrbuch

Wydawnictwo LektorKlett
ul. Polska 114
60-401 Poznań
tel. 61 849 62 01
faks 61 849 62 02

ISBN 978-83-7715-444-1

Konzeption des Kurses: Olga Swerlowa, Beata Ćwikowska, Katarzyna Sroka, Daria Miedziejko
Redaktion: Daria Miedziejko

Illustrationen: Paweł Miedziński

Umschlaggestaltung: Blanka Tomaszewska
Layout und Satz: studioKO, Jerzy Nawrot

Fotos: © Umschlagfoto: Roger Jegg, Dreamstime.com
BE&W: 4 (2), 5 (1, 3), 7 (2), 40 (1-5), 74 (1-3), 75 (1-4), 76 (2), 77 (1-3)
Olga Swerlowa, Vladimir Zverlov: 5 (2), 6 (1-2), 7 (1)
istock: 4 (1), 16 (1-3), 24 (1-3), 48 (1-6), 50 (1-3), 51 (1-2), 56 (1-5), 64 (1-6), 72 (1-9), 76 (1, 3-4), 78 (1-4), 79 (1)
Wydawnictwo LektorKlett: 32 (1-5), 76 (5)

Tonaufnahmen: Studio MM, Poznań
Sprecher: Maja Nadarzyńska, Patrick Kobriger
Josephine Braun, Karl-Heinz Gosch, Vincent Gosch, Florian Janocha, Adriana Kobriger, Ana-Maria Kobriger, Christian Kobriger, Nicole Krohn-Nadarzyński, Małgorzata Łodej-Stachowiak, Lena Nadarzyńska, Amelie Paustian, Kerstin Paustian, Carina Rassek, Joachim Stephan, Anika Trampnau, Thomas Trampnau, Marc Tobias Winterhagen
Komposition der Lieder: Grzegorz Kopala *(Hipp-hipp-hurra, Ich kann alles machen, Wir lieben den Winter, Der kleine Zoo, Und der Hunger ist vorbei, Kommst du mit?)*, Dominik Bukowski *(Das ist ja wunderbar!, Wer bist du?)*
Arrangement der Volkslieder: Grzegorz Kopala *(Ich geh' mit meiner Laterne, Der Fasching ist da)*

Der Ausschnitt aus dem Gedicht „Wann Freunde wichtig sind" von Georg Bydlinski auf Seite 84 wurde mit freundlicher Genehmigung des Autors veröffentlicht.

0939604

Grüße von den deutschen Freunden

CD 1•2

Hallo, kennst du noch Anna?
Anna und ihre Freunde wohnen in München.
Das ist eine große Stadt in Deutschland.

Hamburg
Berlin
Köln
Frankfurt
München
Wien
Salzburg
Zürich
Bern

München ist schön. Es gibt hier viele Straßen und Plätze, Kirchen und Parks.

CD 1•3

CD 1•4

Anna ist jetzt sieben. Sie mag ihre Stadt. Ganz besonders die Straße, wo sie wohnt. Hier trifft sie ihre Freundin Tina auf dem Weg zur Schule.

Guten Morgen, Anna!
Hallo, Tina!

CD 1•5

Anna mag Schule. Und sie mag Kino und Theater. Die Schauburg ist das Kindertheater in München. Anna war hier mit ihrem Opa und Lisa.

SCHAUBURG
¡Seien wir realistisch, versuchen wir das Unmögliche!
¡Hasta la victoria siempre!
Prima! Spitze!
Toll! Super!
Interessant!

Und das ist Benno. Er mag Mathe und Sport.
Benno und Sara gehen oft zusammen skaten.

CD 1•6

Oje!
Aua!

Fabian, Daniel und Lukas spielen gern Fußball. Manchmal im Olympiapark. Hier steht der Fernsehturm. Von da oben kann man ganz München sehen.

CD 1•7

Du bist dran!

Wiederholungsspiel

CD 1•8

Bevor die Geschichte weiter geht, machen wir eine kurze Reise zurück in die erste Klasse. Hast du Lust auf ein Spiel?

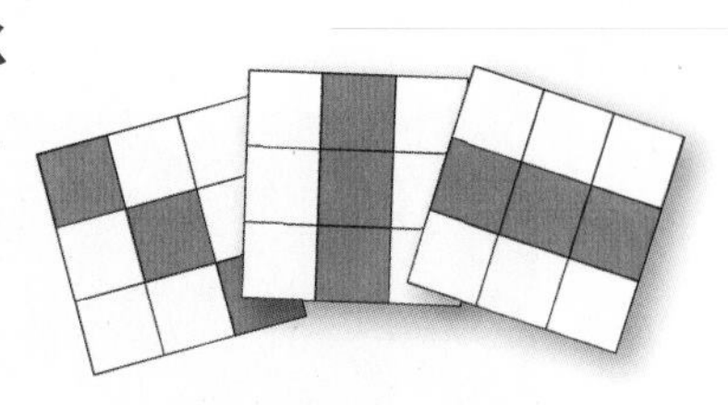

Was sagen die Personen? 	Was sagt Anna? 	Wer ist das? 
Welche Farben sind das? 	Zähle bis 12.  1 2 3 4 5 6 7 8 9 10 11 12	Was ist das? 
Ich mag ... 	... ist toll! 	Das ist Annas ... Das ist ... 

... und ... ist ...
+
=
Hier ist ...!
Wir ...
Benno ist ...
Was sagen die Personen?
Wer mag Spinat?
Nein, ...
Sechs plus fünf ist ...!
6+5=11!
Das sind mein ...
und meine ...
Malen ist ...
Mathe ist ...
Musik ist ...
CD 1•9
Gewonnen!
Gratuliere!

Anna und ihre Freunde sind jetzt in der zweiten Klasse, genau wie du. Wie geht die Geschichte weiter? Möchtest du das wissen? – Dieses Buch erzählt davon!

Hallo, wie geht's dir?

CD 1•10–11

Die Ferien sind vorbei. Anna und Benno gehen wieder in die Schule.

Hör zu und sprich nach.

Guten Morgen, Benno. Wie geht's dir?
Hallo, Anna.
Gut. Danke. Und dir?
Mir geht's prima.
Guck mal, Anna. Das Mädchen da. Wer ist das?
Ich weiß nicht. Keine Ahnung.
Schule

CD 1•12–13

In der Klasse 2a sind 20 Kinder. Ein Mädchen ist neu.

Hör zu und sprich nach.

Hallo. Ich bin Anna. Und das ist Benno. Und wer bist du?
Ich bin Graziella.
Nanu! Toll!
Ich heiße Grazia.
Wie bitte? Wie heißt du?

Grazia! Ciao!
Das ist meine Schwester.
Deine Schwester?
Ja, sie ist schon 16.

CD 1•14

Zahlen-Rap:

13, 14, 15, 16
Ja, und was kommt dann?
17, 18, 19, 20
Du bist endlich dran.

20, 19, 18, 17
Nochmals anders rum.
16, 15, 14, 13
Und der Rap ist um.

13 – dreizehn
14 – vierzehn
15 – fünfzehn
16 – sechzehn
17 – siebzehn
18 – achtzehn
19 – neunzehn
20 – zwanzig

1 Wir spielen und üben

Ballspiel

Wie geht's dir?

Gut. Und wie geht's dir?

So lala.

Prima! Toll!
(Sehr) gut!
So lala.
Nicht so gut.
Schlecht!

Ratespiel

Sag mal, wer ist das?

Ich weiß nicht. Keine Ahnung.

Ich weiß. Ich weiß. Das ist Jan.

Würfelspiel

Wie heißt du? Wie geht's dir?

Ich heiße Maja. Mir geht's sehr gut.

- gut
- sehr gut
- nicht so gut
- schlecht
- so lala
- prima

Wer bist du?

Ich heiße Anna. Ich bin 7 Jahre alt. Ich mag Bananen und Salat.
7
7
10
5

Zahlenspiele

Wie viel ist sieben plus sechs?
Sieben plus sechs ist dreizehn.
7
6

Grazias neue Freunde

CD 1•15-16

Grazias Schwester will die Kinder aus der 2a kennen lernen.

Hör zu. Wer spricht zuerst? Nummeriere.

Hör noch einmal zu. Verbinde.

Das ist ja wunderbar!

CD 1•17-19

H-111
H-1

Wie heißt du denn? Wie heißt du denn?
Ich heiße Magdalene.
Na so was! Toll! Na so was! Toll!
Das ist ja wunderbar!

Wie geht's dir denn? Wie geht's dir denn?
Mir geht's fantastisch. Danke!
Na so was! Toll! Na so was! Toll!
Das ist ja wunderbar!

Was magst du denn? Was magst du denn?
Orangensaft und Kuchen.
Na so was! Toll! Na so was! Toll!
Das ist ja wunderbar!

Scherz-Zoo

Tiere erzählen, wie sie heißen und was sie mögen.

Lies die Texte. Wer sagt was? Verbinde.

A

B

1. Ich bin ein Papagei. Ich heiße Bo. Ich bin 14 Jahre alt. Ich mag Ananas und Salat.

2. Hallo, ich heiße Freddi. Ich bin 3 Jahre alt. Ich mag Pizza mit Salami. Wau, wau!

3. Ich heiße Lutz. Ich bin ein Kaninchen. Ich mag Karotten und Salat. Aber Ananas mag ich nicht.

C

Humor-Labor

Benno geht oft auf den Spielplatz. Dort trifft er neue Freunde.

CD 1•20

Hör zu und schau dir die Bilder an.

Wie heißt du?

Nelly.
Ich heiße Nelly.

Conny!

Das ist meine Mutter. Ich muss los.

Conny? Du heißt doch Nelly.

Ich heiße Cornelia.
Also Conny und Nelly.

Ich höre gern Musik

CD 1•24–25

Heute ist Sonntag. Anna und Benno spielen zusammen. Auch Tina ist da.

Hör zu und sprich nach.

Sag mal, Anna. Was machst du gern?
Ich male gern. Und ich bastle gern. Hier, mein Origami-Vogel.
Wow! Toll. Und du, Benno?
Ich spiele gern Computer und Lego. Und ich spiele gern Fußball.

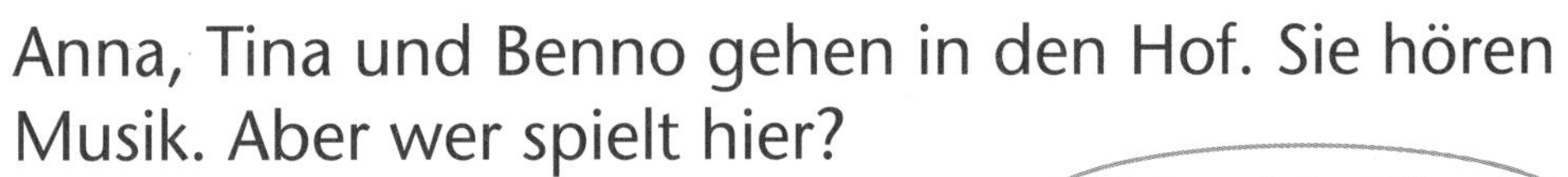

Anna, Tina und Benno gehen in den Hof. Sie hören Musik. Aber wer spielt hier?

CD 1•26–27

Hör zu und sprich nach.

Ich spiele Flöte.
Ich spiele gern Flöte und ich singe gern. Ich höre gern Musik.
Hallo, Grazia. Was machst du da?
Wow. Toll.
Typisch Mädchen!

2 Wir spielen und üben

Bingo

Flöte?
Lego?
Ich spiele gern Bimbalabim.
Nein.
Ja, ich spiele gern Lego.
Lego
Fußball
Verstecken
Flöte
Domino
Karten
Klavier
Computer
Fangen
Gitarre

Paare suchen

Ich auch.
Ich höre gern Musik. Und du?

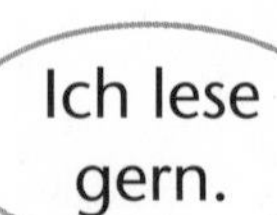
Ich nicht.

Wir hören gern Musik.

Kettenspiel

Was machst du gern?
Ich spiele gern Karten.
Was machst du gern?
Ich lese gern.

Pantomime

Spielst du Klavier?
Spielst du Computer?

Nein.
Ja. Ich spiele Computer.

Malst du?
Hörst du Musik?
Singst du?
Bastelst du?

Was machen sie gern? Was machen sie nicht gern?

Ich skate gern. Ich male nicht gern.

Ich mache gern Filme

CD 1•28–29

Anna „macht" einen Film über ihre Familie.
Wer macht was gern?

Hör zu und nummeriere die Bilder.

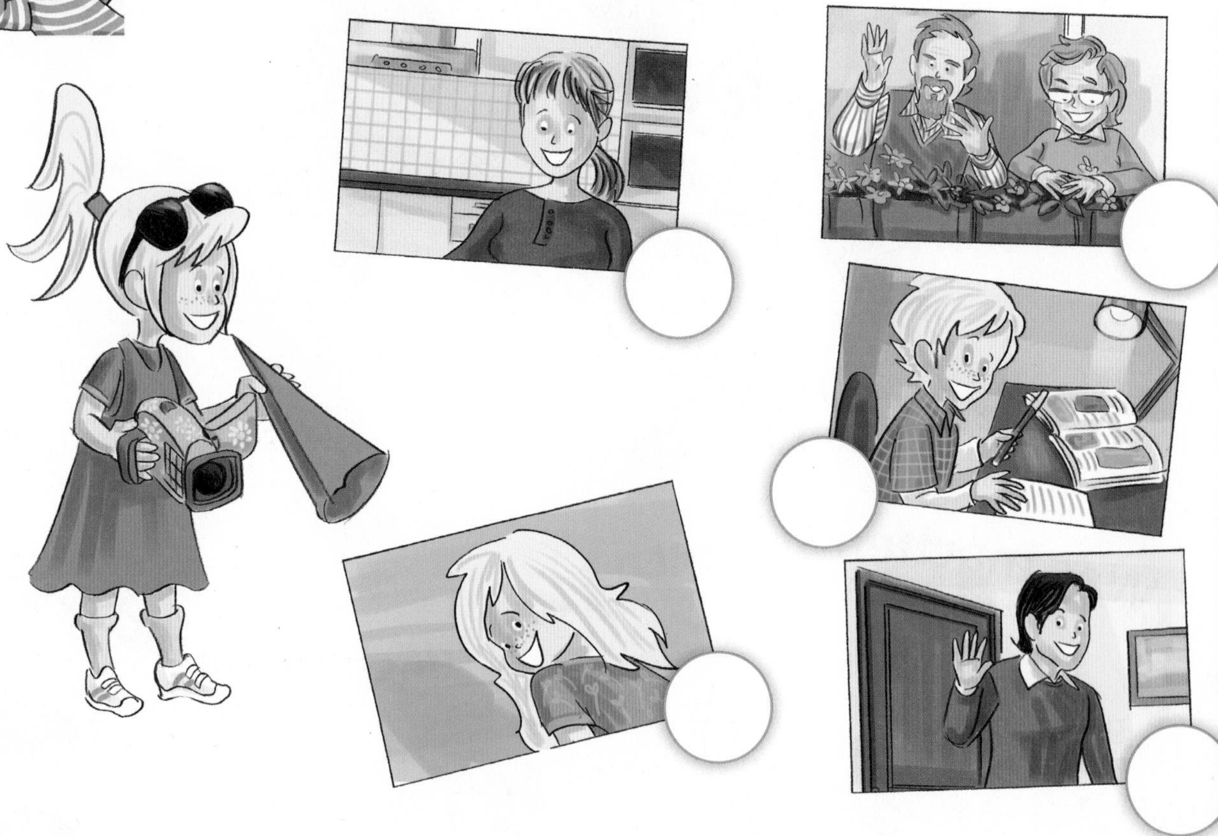

Hör den Text noch einmal. Ordne zu.

Ich spiele gern mit Puppen.
Ich fotografiere gern.
Ich spiele gern Gitarre.
Ich male gern.
Ich koche gern.

Wer bist du?

CD 1•30-32

Bist du Linda? Heißt du Stella?
Oder heißt du Isabella?
Nein, nein, ich heiße Grazia.
Ja, ich heiße Grazia.

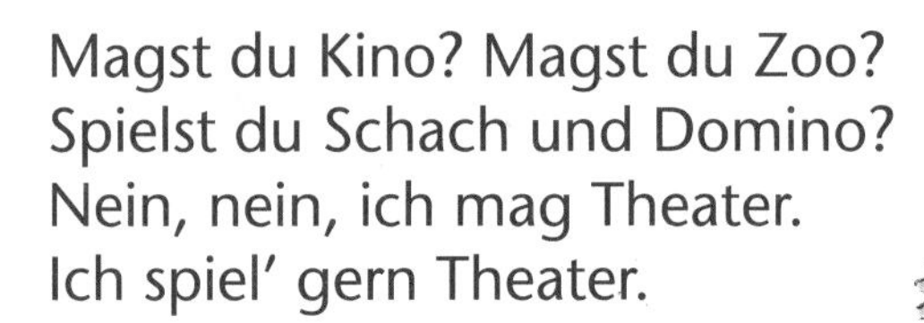

Magst du Kino? Magst du Zoo?
Spielst du Schach und Domino?
Nein, nein, ich mag Theater.
Ich spiel' gern Theater.

Machst du Sport? Hörst du Musik?
Lernst du gern Mathematik?
Ja, ja, ich mache Sport.
Ich mag Musik.
Ich lerne gern Mathematik.

Scherz-Zoo

Tiere haben auch Hobbys.

Lies die Texte. Wer sagt was? Verbinde.

A

B

C

1. Ich spiele gern mit Hula-Hop. Das ist einfach toll!
2. Ich mag Musik. Ich spiele gern Klavier.
3. Ich fahre gern Auto.

Humor-Labor

Grazia freut sich über Fabians Besuch.
Schön, dass er Sport mag!

CD 1•33

Hör zu und schau dir die Bilder an.

Fabian, was ist dein Hobby?
Sport!

Wow! Toll!
Spielst du gern Ball?
Nein.

Skatest du gern?
Nein.

Schwimmst du gern?
Nein.

??!!?

Ich mag Sport im Fern-sehen!

Zum Geburtstag viel Glück!

CD 1•37-38

Benno hat heute Geburtstag. Mama und Papa gratulieren ihm.

Hör zu und sprich nach.

Guten Morgen, Benno! Alles Gute zum Geburtstag.

Hier, dein Geschenk!

Was ist das?

Rate mal!

Ein Computerspiel?

Nein.

Ein Auto?

Nein. Mach auf!

Wow! Das ist eine Uhr! Die Uhr ist schön! Danke.

CD 1•39-40

Jetzt kommen die Freunde zu Besuch. Es gibt Spaß, Spiel und Geschenke!

Hör zu und sprich nach.

Hier, Benno, für dich!

Was ist das, Fabian? Ein Ball?

O, das ist ein Puzzle. Das Puzzle ist interessant. Danke.

Was ist das? Ha-ha-ha ... Ein Puppenhaus?

So ein Quatsch! Mach auf!

O, das ist ein Teddy. Der Teddy ist nett.

Prima-Rap

Alt und schlecht, schlecht und alt – alles raus.
Gut und neu, neu und gut – rein ins Haus.
Schön und nett, nett und schön – alles klar.
Prima, toll, super, cool, wunderbar!
Das Spielen ist interessant, es ist nie langweilig.

CD 1•41

3 Wir spielen und üben

Kettenspiel

Der Teddy

Der Teddy, die Uhr

Der Teddy, die Uhr, das Auto

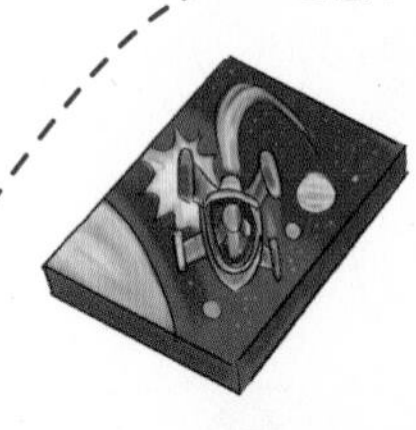
das Computerspiel

der Teddy

die Uhr

das Puppenhaus

das Auto

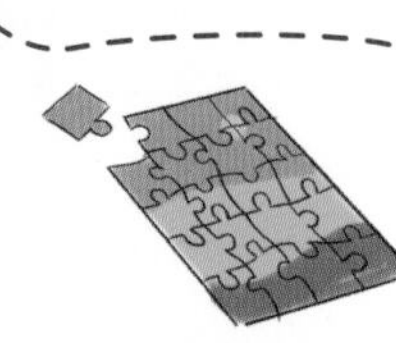
das Puzzle

Stille Post

Was ist das?

Das ist ein Teddy.

Memory

Das ist ein Puzzle. Und das ist eine Uhr. Du bist dran.

Was ist das?

Was ist das?
Ein Teddy?
Ein Auto?
Falsch.
Richtig. Das ist ein Auto.
Würfelspiel
neu
nett
alt
schlecht
schön
prima
Das Puzzle ist alt.
Schatztruhe
Die Puppe ist alt.
Nein, die Puppe ist neu.
Wie ist die Puppe?
Ja, die Puppe ist neu und schön.

3

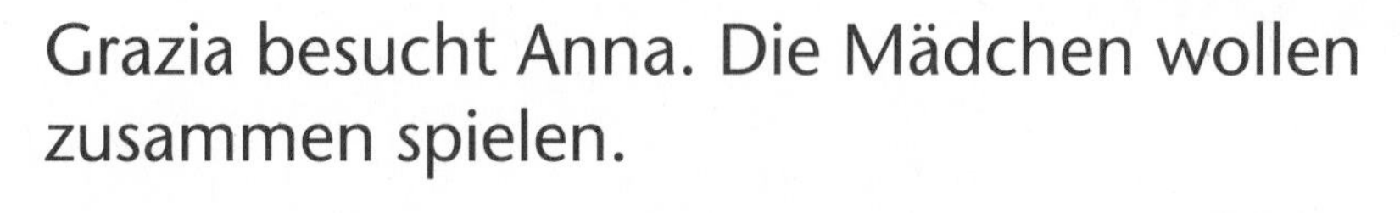
Spielsachen und Spielsachen

Grazia besucht Anna. Die Mädchen wollen zusammen spielen.

CD 1•42–43

Welche Sachen gehören Anna, welche – Lea, welche – Anton? Hör zu und ordne zu.

Hör noch einmal. Was passt? Markiere.

Die Puppe ist <u>schön</u>/neu.

Das Puppenhaus ist toll/klein.

Die Uhr ist neu/klein.

Das Computerspiel ist interessant/schön.

Die Maus ist neu/klein.

Der Teddy ist interessant/groß.

Hipp, hipp, hurra

CD 1•44–46

Und was ist das?
Das gibt's doch nicht.
Das ist doch eine Uhr!
Die Uhr ist schön.
Die Uhr ist schwarz.
O, danke. Vielen Dank.

Refrain

Hipp, hipp, hurra, wie wunderbar!
So viele Geschenke gibt's nur einmal im Jahr!

Und was ist hier?
Das gibt's doch nicht.
Das ist ein Puppenhaus!
Das Haus ist neu.
Das Haus ist groß.
O, danke. Vielen Dank.

Noch ein Geschenk?
Das gibt's doch nicht.
Das ist ein prima Spiel!
Das Spiel ist neu,
interessant.
O, danke. Vielen Dank.

3 Scherz-Zoo

Foksi erzählt.

Lies die Texte und schau dir die Bilder an. Ordne zu.

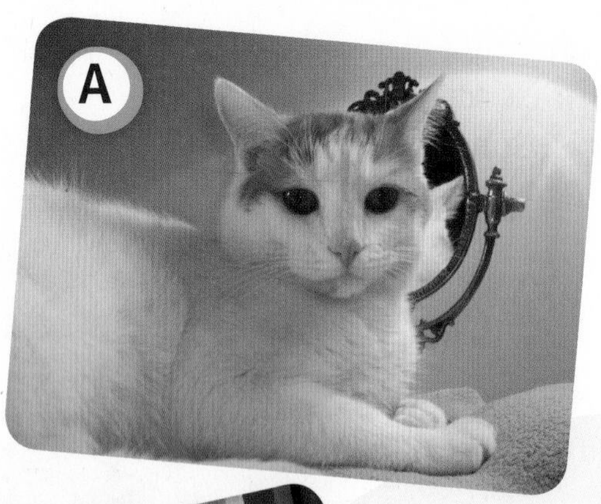
A

B

D

C

E

1. Ich mag Milch. Die ist so lecker!
2. O, das ist eine Maus. Die Maus ist toll.
3. Hallo, ich bin Foksi. Ich bin eine Katze.

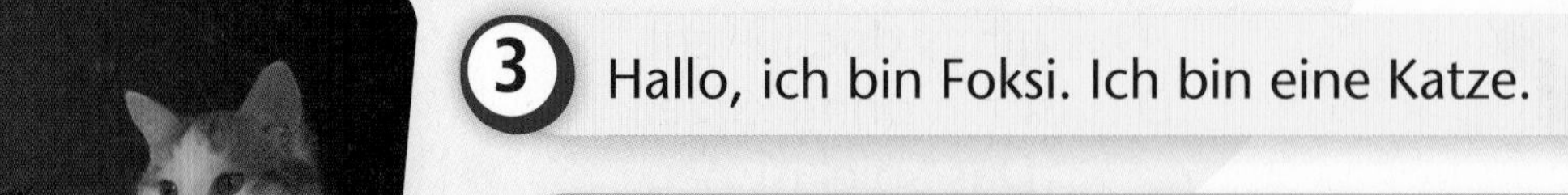

4. Heute habe ich Geburtstag. Ich bin jetzt 4 Jahre alt. Und das ist mein Geschenk.
5. Ich spiele gern Ball und ich schlafe sehr gern.

Humor-Labor

Benno freut sich über das Geschenk von Grazia.
Was kann das sein?

CD 1•47

Hör zu und schau dir die Bilder an.

Benno, für dich.
Ein Geschenk.
Was ist das?
Ein Auto?
Ein Puzzle?

Nein! Mach auf!

Toll! Ein Schal!

Danke, Grazia.

Der Schal ist lang!

!?
O, Benno, ein neuer Pullover!

4 Ich kann singen und tanzen!

CD 1•51–52

Anna und Lisa sprechen in der Pause über ihre Interessen.

Hör zu und sprich nach.

Hallo, Anna, was machst du da?
Ich jongliere.
Wow! Toll! Ich kann das nicht. Aber ich kann gut Seil springen.
Na und? Das kann ich auch.
Und ich kann schnell laufen. 100 Meter in drei Sekunden.
So ein Quatsch! Das kann doch nicht sein!

In der Pause essen die Kinder. Benno isst ein Schinkenbrot. Anna isst eine Banane. Und Grazia isst Kekse.

Hör zu und sprich nach.

CD 1•53-54
Hey, Grazia, was ist das?
Kekse aus Italien. Probier mal.
Mmmm. Lecker! Kannst du backen?
Ich nicht. Aber meine Schwester kann backen und kochen.
schwimmen
tanzen
Rad fahren
Seil springen
Ziel
laufen
backen
kochen

Wir spielen und üben

Pantomime

Kannst du tanzen?
Ich kann Bimbalabim.
Nein.
Ja. Ich kann schwimmen.

Kannst du schwimmen?

Paare suchen

Kannst du jonglieren?
Nein.
Schade.

Kannst du Rad fahren?
Ja.
Toll.

Wer kann singen?

Wer kann singen?

Ich kann singen.

„Stumme" Post

Julia kann Seil springen.

Umfrage: Kannst du das?

Kannst du singen?

Ja, ich kann singen.

Kannst du tanzen?

Nein, ich kann nicht tanzen.

Ich kann ...
Ich kann nicht ...

Paul kann ...
Paul kann nicht ...

	ich ☺	ich ☹	________ ☺	________ ☹
schwimmen				
Seil springen				
Rad fahren				
tanzen				
Klavier spielen				
skaten				

4

Talente gesucht

CD 1•55-56

Annas Mitschüler haben viele Talente.

Wer spricht zuerst, wer danach? Nummeriere.

Hör zu. Was stimmt? Was stimmt nicht?

Ich kann alles machen

CD 1•57-59

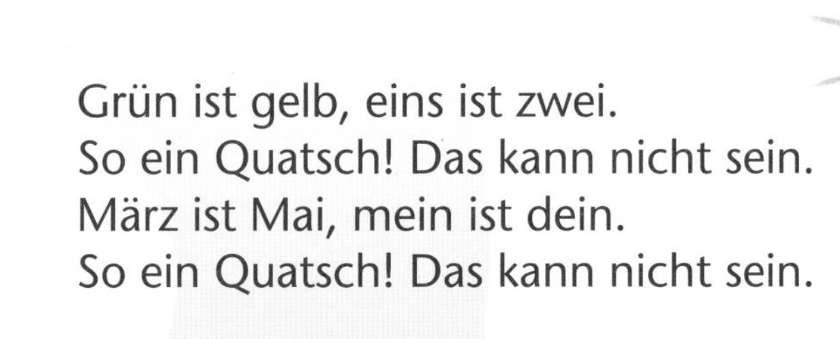

Grün ist gelb, eins ist zwei.
So ein Quatsch! Das kann nicht sein.
März ist Mai, mein ist dein.
So ein Quatsch! Das kann nicht sein.

Ich kann tanzen, singen.
Ich kann laufen, springen.
Ich sprech' nun zwei Sprachen
Und kann jetzt alles machen.

Neun ist zehn, groß ist klein.
So ein Quatsch! Das kann nicht sein.
Schlecht ist gut, ja ist nein.
So ein Quatsch! Das kann nicht sein.

Ich kann skaten, schwimmen.
Ich kann gut jonglieren.
Ich sprech' nun zwei Sprachen
Und kann jetzt alles machen.

Scherz-Zoo

Der Schäferhund ist unser bester Freund.

Lies den Text und markiere, was dieser Hund kann.

Ich kann mit Kindern spielen.

Ich bin ein Schäferhund. Ich habe viele Talente.

Und ich kann im Film spielen. Ich heiße „Kommissar Rex".

Ich kann blinde Menschen führen.

Ich kann Menschen retten.

Humor-Labor

CD 1•60

Benno hört gern Musik. Er kann dabei gut relaxen.

Hör zu und schau dir die Bilder an.

Toll. Diese Musik! Ich kann sie jeden Tag hören.
Benno, mach die Musik leiser!
Was!? Ich kann dich nicht hören.
Die Musik ist zu laut.
Du kannst taub werden!
O.K. Genug für heute.
Komm, Benno.
Wir gehen spazieren.
Was? Jonglieren?
Ich kann nicht jonglieren.
Ach, Benno, Benno!

Endlich Winter!

CD 2•2–3

Heute ist Samstag. Die Kinder haben keine Schule. Benno will draußen spielen und Anna will das nicht.

Hör zu und sprich nach.

Anna, steh auf!
Ich will nicht aufstehen. Am Samstag will ich schlafen.
Komm, Anna. Wir rodeln.
Ach nee. Ich habe keine Lust. Ich will nicht rodeln.
Ach komm, Anna, der Winter ist toll!
Samstag
8
Dezember
Montag 3
Dienstag 4
Mittwoch 5
Donnerstag 6
Freitag 7
Samstag 8
Sonntag 9

Es ist Winter. Das Wetter ist schön. Die Mädchen und Jungen spielen draußen.

CD 2•4–5

Hör zu und sprich nach.

Tina und Lisa machen eine Schneeballschlacht.
Benno und Daniel bauen einen Schneemann.
Hey, Anna. Guck mal. Alle Kinder spielen.
Fabian und Grazia laufen Schi und Schlittschuh.
Ich will nicht spielen.
Ich habe keine Lust.
Und Benno?
Au ja. Das will ich auch!

5 Wir spielen und üben

Wochentagespiel

Samstag
Mittwoch
Donnerstag
Sonntag
Montag
Dienstag
Freitag

Montag
Dienstag
Mittwoch
Donnerstag
Freitag
Samstag
Sonntag

Spiegelspiel

Ich will auch eine Schneeballschlacht machen.

Ich will auch einen Schneemann bauen.

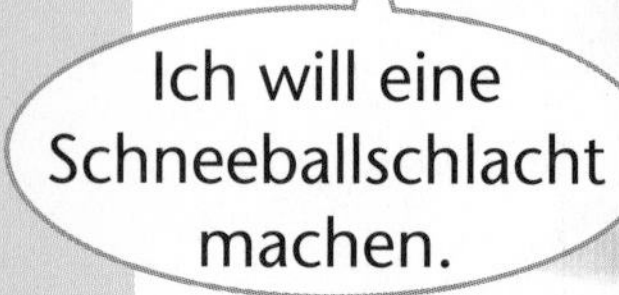

Ich will eine Schneeballschlacht machen.

Ich will einen Schneemann bauen.

Würfelspiel

Anna will Schi laufen.

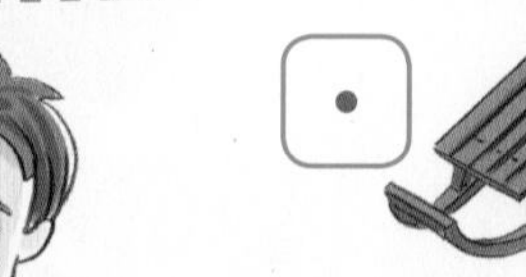

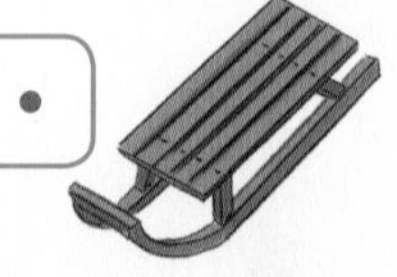

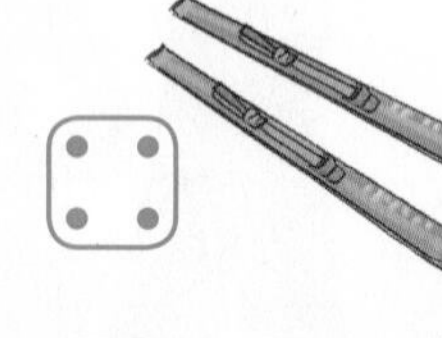

Zipp-Zapp-Spiel

Ich will rodeln.
Ich will Schlittschuh laufen.
Zipp
Emma will Schlittschuh laufen.

Wer will das nicht?

Ich will nicht rodeln.
Max will nicht rodeln.
Falsch.
Oskar will nicht rodeln.
Ja, richtig.

5 Wer mag den Winter?

CD 2•6-7

Die Kinder basteln mit Frau Kamm und sprechen über den Winter.

Hör zu. Wer mag den Winter? Wer mag den Winter nicht? Kreuze an.

Hör noch einmal. Wer sagt was? Markiere die Person.

1
2
3
4

Wir lieben den Winter

CD 2•8–10

Wir bauen einen Schneemann.
Hey, Leute, wer macht mit?
Wir spielen Eishockey
Und bleiben immer fit.

Refrain

Wenn der Winter da ist und wenn es heftig schneit,
Dann bitten wir das Wetter, dass es so weiter bleibt.
Wir lieben den Winter, wir spielen im Eis,
Wir rodeln zusammen und tanzen im Kreis.

Wir machen Schneeballschlachten.
Hey, Leute, wer macht mit?
Wir laufen auch Schlittschuh
Und bleiben immer fit.

Scherz-Zoo

Philipp will fliegen lernen.

Lies die Texte und schau dir die Bilder an.

1

Hallo, ich bin Philipp. Ich bin ein Pinguin. Und das ist mein Papa.

2

Ich kann gut schwimmen und surfen. Aber ich will fliegen.

3

Du kannst nicht fliegen. Ha-ha-ha. Pinguine fliegen nicht.

4

Aber ich will es lernen. Fliegen ist toll.

5

Philipp, du kannst fliegen! Ein Pinguin kann unter Wasser fliegen.

6

Echt? Toll! Guck mal, Papa. Ich fliege ...

Humor-Labor

CD 2•11

Die Mutter von Anna und Anton ist nicht da.
Die beiden haben aber Hunger.

Hör zu und schau dir die Bilder an.

Anton, was machst du?
Ich will heute kochen.

Toll! Was denn?
Eine Tomaten-suppe.

O.K. Fertig.

Schmeckt nicht.

Hey, Anton, ich will essen.
Wo ist die Suppe?

Moment mal!

Ich will lieber Milch trinken.
Milch ist gesund!

6 Hast du ein Haustier?

CD 2•15–16

Die Kinder mögen ihre Haustiere und erzählen davon im Unterricht.

Hör zu und sprich nach.

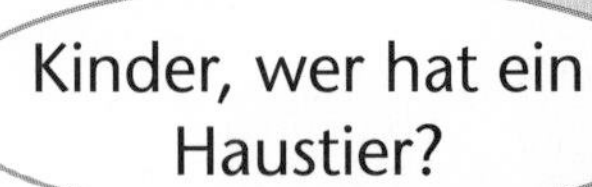
Kinder, wer hat ein Haustier?

Ich!
Ich!
Ich auch!

Ich habe eine Katze. Sie heißt Schmusi und mag Milch.

Und ich habe einen Hund. Er heißt Tobi und ist sehr klug.

Ich habe eine Schildkröte.

Und ich habe ein Meerschweinchen.

Und wir haben einen Papagei. Er kann sprechen.

Grazia, du hast kein Foto.
Ich habe kein Haustier.
Oje.
Ja, aber ich wünsche mir so ein Haustier, ein Kaninchen.

CD 2•17

Der Tier-Rap

Die Katze, die Schildkröte und die Maus,
Der Papagei, der Hamster – du bist raus.
Der Fisch, das Meerschweinchen und der Hund
Und das Kaninchen weiß und rund.

6 Wir spielen und üben

Fingermalerei

Wer ist das?

Der Hamster?

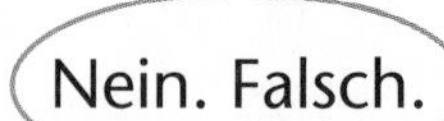
Nein. Falsch.

Der Papagei?
Ja. Richtig.

Tier-Musik-Schlange

Der Hund, der Hund.
So geht der Hund, der Hund.

Kimspiel

Auf dem Tisch sind der Hund, die Katze, die Schildkröte …
Das Kaninchen ist nicht da.

Paare suchen

Ich habe einen Fisch. Und du?
Ich habe eine Maus.
Schade.

Ich habe eine Maus.
Toll!
Ich habe auch eine Maus.

Mein rechter Platz

Mein rechter, rechter Platz ist leer, ich wünsch' mir ein Kaninchen hierher.
Ich habe ein Kaninchen.

Schwarzer Peter

Ich habe einen Fisch.
Ich habe eine Schildkröte.

6

Wir malen Haustiere

CD 2•18–19

In der Schule malen Annas Mitschüler ihre Haustiere.

Hör zu. Wer malt was? Verbinde.

Hör noch einmal. Was mögen die Tiere? Verbinde.

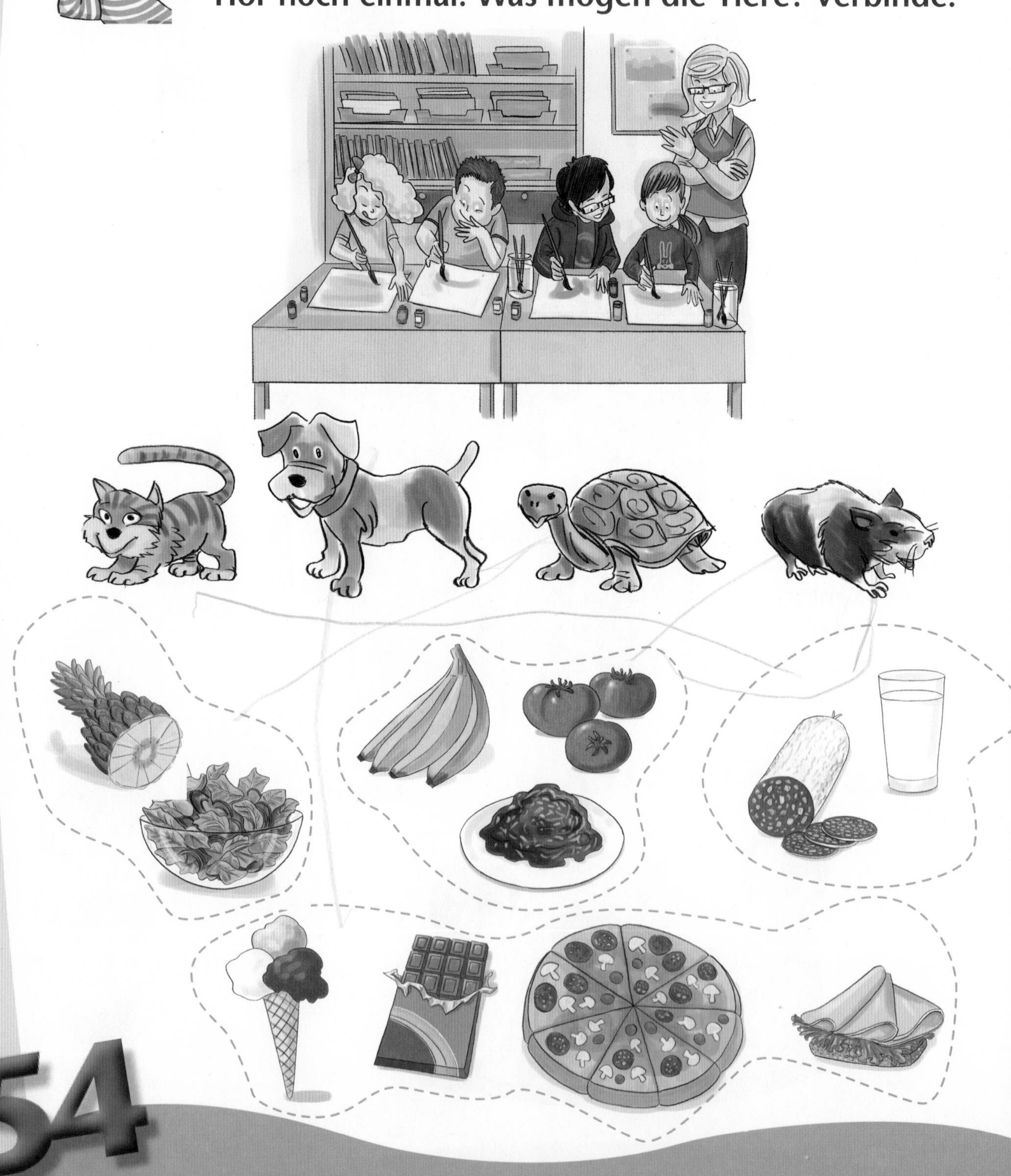

Der kleine Zoo

CD 2•20–22

Meine Freundin Andrea –
Sie hat eine Katze.
Die Katze heißt Mieze
Und hat weiße Tatzen.

Mein Bruder Matthias –
Er hat einen Hund.
Der Hund ist ein Dackel
Und heißt Siegesmund.

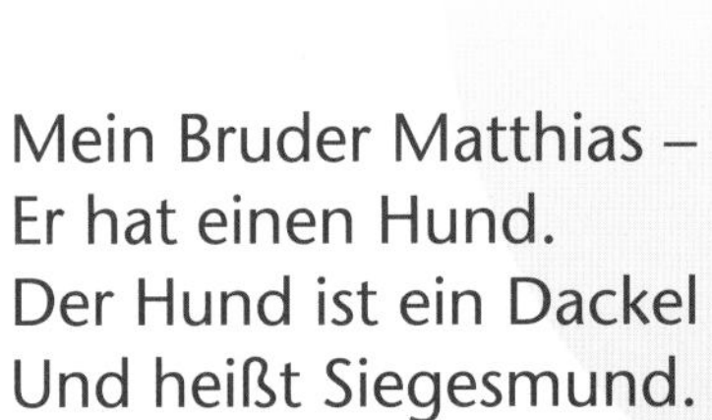

Und Tante Ulrike –
Sie hat eine Kuh.
Die Kuh gibt uns Milch
Und ruft immer: „Muhhhh!“

Mein Opa Karl-Heinz –
Er hat jetzt ein Pferd.
Das Pferd ist schwarz-weiß
Und heißt Adalbert.

6

Scherz-Zoo

Ein Tier stellt sich vor.

Lies die Texte und rate, welches Tier es ist.

Ein Pinguin? ☐ Ein Krokodil? ☐ Ein Strauß? ☐

Hallo, ich bin Hugo.

Ich lebe in Afrika.

Mein Ei ist sehr groß.

Ich kann nicht fliegen. Und ich kann nicht schwimmen.

Aber ich kann sehr schnell laufen, so schnell wie ein Auto.

Humor-Labor

Anna und Benno mögen Tiere. Heute sind sie im Zoogeschäft.

CD 2•23

Hör zu und schau dir die Bilder an.

Guck mal, Anna,
ein Papagei!
Kann er sprechen?
Pablo
Keine Ahnung. Frag ihn doch!
Hallo, Pablo!
Pablo
Halloooooooo! Kannst du sprechen?
Aber klar. Und kannst du fliegen?
Ich? Nein.
Hahahahaha...

7

Bei Grazia zu Besuch

CD 2•27–28

Es klingelt. Grazia öffnet die Tür. O, Anna und Benno sind da. Hurra!

Hör zu und sprich nach.

Hallo, Anna. Hallo, Benno. Kommt rein.
Hallo, Grazia. Guten Tag, Frau Turini.
Hallo!
Mmmm. Ich habe Hunger.
Au ja, und ich habe Durst.
Ach, Benno, du hast immer Hunger.

CD 2•29–30

Alle sitzen am Tisch. Jeder kann essen und trinken, was er mag.

Hör zu und sprich nach.

Was möchtest du essen, Benno?

Brot mit Käse, bitte.

Und du Anna?

Ich möchte Jogurt mit Honig und Müsli.

Was möchtest du trinken?

Milch, bitte.

Und ich trinke Tomatensaft. Mit Salz und Pfeffer. Das schmeckt gut.

Na dann, guten Appetit!

CD 2•31

Lebensmittel-Rap

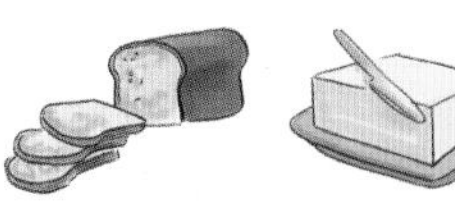
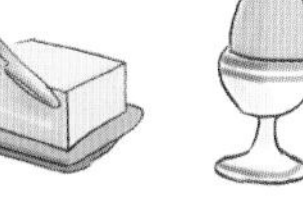

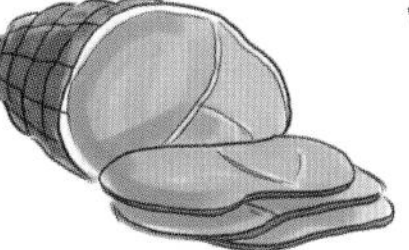

Brot Butter Ei Käse Schinken Wurst Majonäse

Milch Apfelsaft Tee Honig Müsli Jogurt

Kaffee Obst Gemüse Fisch Das kommt alles auf den Tisch.

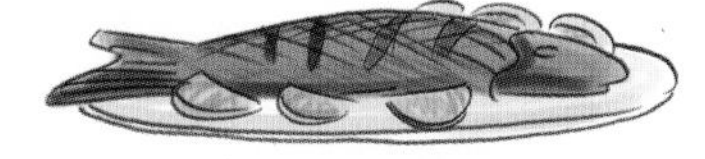

Wir spielen und üben

Kimspiele

Ich weiß nicht.
Keine Ahnung.
Das ist Wurst.

Das ist Marmelade.
Richtig.

Kettenspiel

Ich möchte Brot.

Ich möchte Brot mit Butter.

Ich möchte Brot mit Butter und Käse.

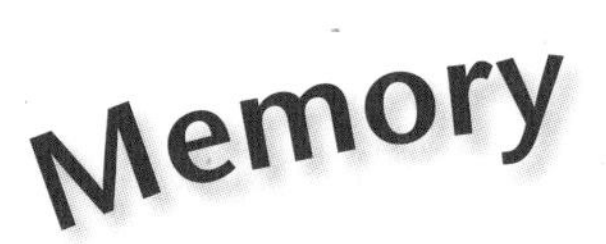
Memory

Ich möchte Ei …
und Wurst. Du bist
dran.

Ich habe Hunger

Ich habe Hunger.
Ich möchte …

Limo.

Falsch.

Brot.

Ich habe
Hunger. Ich
möchte …

Richtig.

Würfelspiel

Brot mit Honig –
Das schmeckt gut.

Müsli mit Salz
und Pfeffer – Das
schmeckt nicht.

Klassenfrühstück

Frau Kamm organisiert ein Frühstück in der Klasse.
Die Schüler aus der 2a freuen sich.

CD 2•32

Hör zu. Was möchten die Kinder zum Frühstück? Kreuze an.

Und der Hunger ist vorbei

CD 2•33-35

Was möchtest du denn essen?
Was möchtest du denn essen?
Kuchen oder Pizza, Kuchen oder Pizza?
Ich möchte lieber Pizza.
Ich möchte lieber Pizza.
Die ist ja super lecker!
Und die schmeckt wunderbar!

Refrain

Hast du Hunger? Hast du Durst?
Trinke Wasser und iss Wurst!
Iss dann noch ein Spiegelei.
Und der Hunger ist vorbei.

Was möchtest du denn trinken?
Was möchtest du denn trinken?
Tee oder Limo, Tee oder Limo?
Ich möchte lieber Limo.
Ich möchte lieber Limo.
Die ist ja super lecker!
Und die schmeckt wunderbar!

Scherz-Zoo

Der kleine Igel hat immer Hunger.

Lies die Texte und schau dir die Bilder an. Ordne zu.

A

B

1. Und was ist hier?
O, ein Apfel? Wunderbar!

2. Ich bin Timo ein kleiner Igel.
Ich habe immer Hunger.

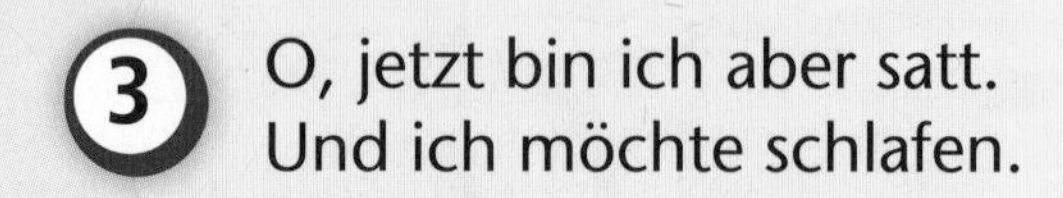

3. O, jetzt bin ich aber satt.
Und ich möchte schlafen.

4. O, Milch? Das mag ich.

5. Mmmm, Beeren. Lecker!

C

D

E

Humor-Labor

Heute hat Benno keinen Hunger. Ist er krank?

CD 2•36

Hör zu und schau dir die Bilder an.

Anna, möchtest du meinen Apfel?
Ja. Danke.

Möchtest du meine Banane?
Ja, danke schön.

Möchtest du mein Schinkenbrot?
Au ja, nett von dir.

Benno, bist du krank?
Hast du keinen Hunger?

Ich esse lieber ...

!?!
... ein Eis!

8 Wohin gehen wir denn?

CD 2•40-41

Das Wetter ist schön heute. Die Kinder wollen gemeinsam ihre Zeit verbringen.

Hör zu und sprich nach.

1 Tolles Wetter heute!
2 Au ja. Die Sonne scheint.
3 Na los. Wir gehen auf den Spielplatz!
4 Nein, ich habe keine Lust.
5 In den Park?
6 Das ist langweilig.
7 Ich weiß. Wir gehen ins Schwimmbad.
8 Gute Idee!

Die Kinder schwimmen, spielen und rutschen.
Es macht Spaß. Aber Anna muss schon los. Schade ...

CD 2•42–43

Hör zu und sprich nach.

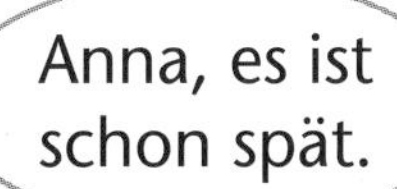

Anna, es ist schon spät.
Oje. Ich muss los. Ich gehe nach Hause.
Tschüss, Leute!
Schade.
Warte, Anna. Ich komme mit. Ich muss in die Bibliothek.

CD 2•44

Freizeit-Rap

In den Park, in den Zoo, in den Garten,
Ins Theater, ins Kino, nach Hause,
In die Schule, ins Schwimmbad, zu Anna,
Auf den Spielplatz, zu Frau Krause.

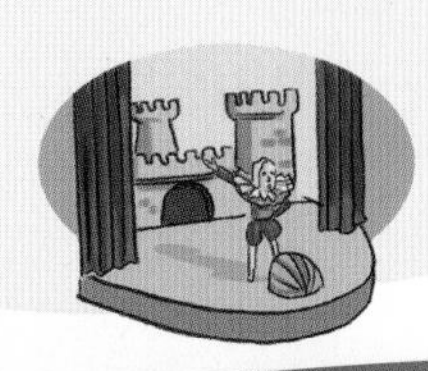

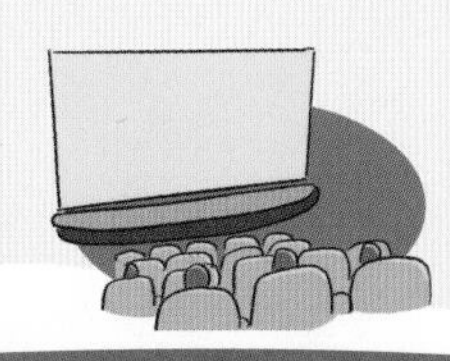

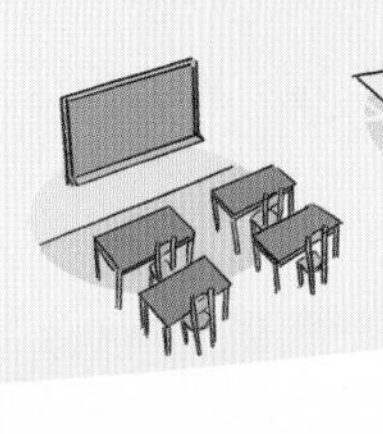

8 Wir spielen und üben

Kegeldrehen

Ich gehe in den Park.

Richtiger Weg

E
P
R
U
A
S

1 Ich gehe in den Zoo. S

2 Ich gehe ins Schwimmbad.

3 Ich gehe in die Schule.

4 Ich gehe in die Bibliothek.

5 Ich gehe ins Kino.

Kettenspiel mit Ball

Ich gehe in die Schule.
Ich gehe in die Schule und dann in den Park.

Ratespiel

Popcorn, Film
Wohin gehe ich?
Ich gehe ins Kino.

Bingo mit Würfel

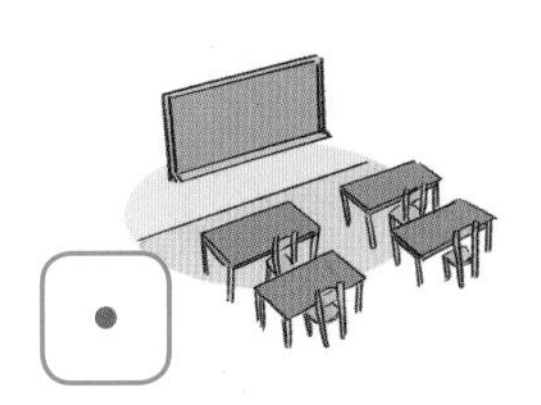

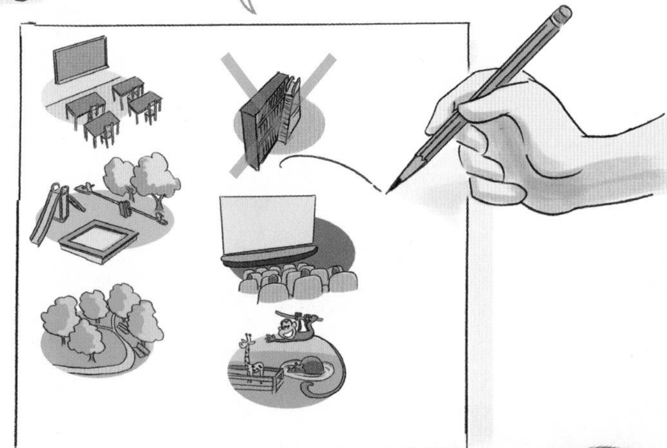
Ich gehe in die Bibliothek.

Ich habe keine Zeit

CD 2•45–46

Heute hat Anna keine Schule. Aber sie hat viel zu tun.
Wohin geht sie zuerst?

Hör zu und nummeriere die Bilder.
Ein Bild passt nicht.

Hör noch einmal. Mit wem geht Anna wohin? Verbinde.

Kommst du mit?

CD 2•47–49

Wir gehen in den Zoo,
Hey! Sag mal, kommst du mit?
Ja? Prima! Spitze! Klasse!
Dann gehen wir zu dritt.

ZOO

Wir gehen auf den Spielplatz.
Hey! Sag mal, kommst du mit?
Ja? Prima! Spitze! Klasse!
Dann gehen wir zu dritt.

Wir gehen jetzt ins Kino.
Hey! Sag mal, kommst du mit?
Ja? Prima! Spitze! Klasse!
Dann gehen wir zu dritt.

Wir gehen jetzt ins Schwimmbad.
Hey! Sag mal, kommst du mit?
Ja? Prima! Spitze! Klasse!
Dann gehen wir zu dritt.

Wir gehen jetzt nach Hause.
Hey! Sag mal, kommst du mit?
Ja? Prima! Spitze! Klasse!
Dann gehen wir zu dritt.

8

Scherz-Zoo

Ein kleiner Hund will spielen,
aber wohin darf er gehen?
Lies die Texte und schau dir die Bilder an.
Welcher Text passt zu welchem Bild?

Hallo, ich bin Molli.
Ich bin ein Hund.
Ich spiele gern.

A

B

Für Hunde verboten
ZOO

C

D

1. Dann gehe ich ins Schwimmbad. Aber stopp! Das geht nicht.
2. O, Hundeschule. Hurra! Toll! Hier kann ich spielen!
3. Ich möchte gern in den Zoo. Aber stopp! Das geht nicht.
4. Ich möchte auf den Spielplatz. Aber stopp! Das geht nicht.

Humor-Labor

Die Sonne scheint so schön. Anna, Grazia und Benno gehen also ins Schwimmbad.

CD 2•50

Hör zu und schau dir die Bilder an.

Benno, wir gehen ins Schwimmbad.
Kommst du mit?
Ja, klar.

Hier, Benno, die Sonnen-creme.
Ich will nicht.

Benno, wir gehen nach Hause.
Komm...

O, ein Krokodil!!!

Wo ist das Krokodil???
Ach, Benno, Benno.

Martinstag

Der St. Martinstag steht kurz bevor. Benno bastelt seine Laterne für das Martinsfest und singt vor sich hin.

CD 2•54

Hör zu und sing mit.

Laterne, Laterne,
Sonne, Mond und Sterne,
brenne auf mein Licht,
brenne auf mein Licht,
aber nur meine liebe Laterne nicht.

CD 2•55

Was gehört noch zum Martinsfest?
Hör zu und sprich nach.

der Laternenumzug

Sankt Martin

das Martinsfeuer

Ich geh' mit meiner Laterne

Die Kinder gehen mit ihren Laternen durch die Straßen und singen Martinslieder.

CD 2•56–58

Ich geh' mit meiner Laterne
Und meine Laterne mit mir.
Dort oben leuchten die Sterne
Und unten leuchten wir.
Ein Lichtermeer zu Martins Ehr!
Rabimmel – rabammel – rabum.

Ich geh' mit meiner Laterne
Und meine Laterne mit mir.
Dort oben leuchten die Sterne
Und unten leuchten wir.
Laternenlicht, verlösch mir nicht!
Rabimmel – rabammel – rabum.

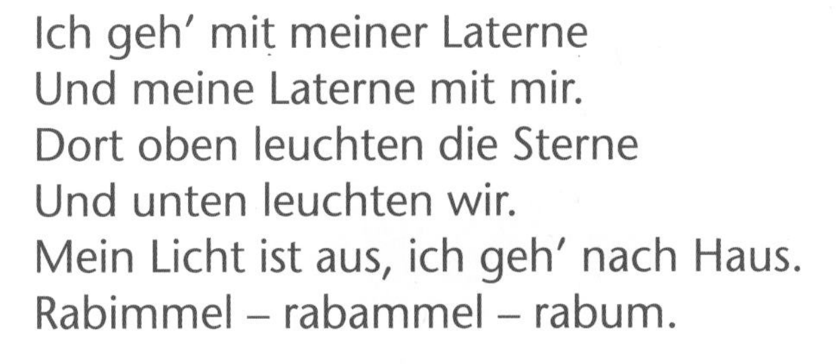

Ich geh' mit meiner Laterne
Und meine Laterne mit mir.
Dort oben leuchten die Sterne
Und unten leuchten wir.
Mein Licht ist aus, ich geh' nach Haus.
Rabimmel – rabammel – rabum.

Kinder lieben Karneval

CD 2•59

Im Februar ist es wieder soweit: der Fasching beginnt.
Anna verkleidet sich als Maus, Benno – als Indianer.
Was brauchen sie für die Faschingsfeier?

Hör zu und sprich nach.

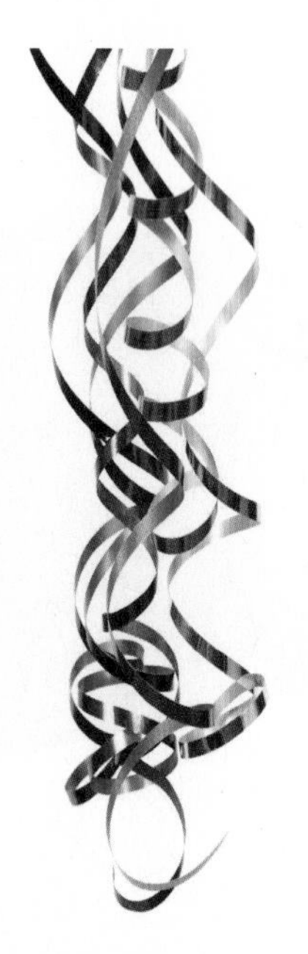

die Luftschlangen

der Faschingsumzug

die Maske

die Krapfen

das Kostüm

Der Fasching ist da

Viele Leute feiern auf den Straßen. Alle tanzen und singen.

CD 2•60–62

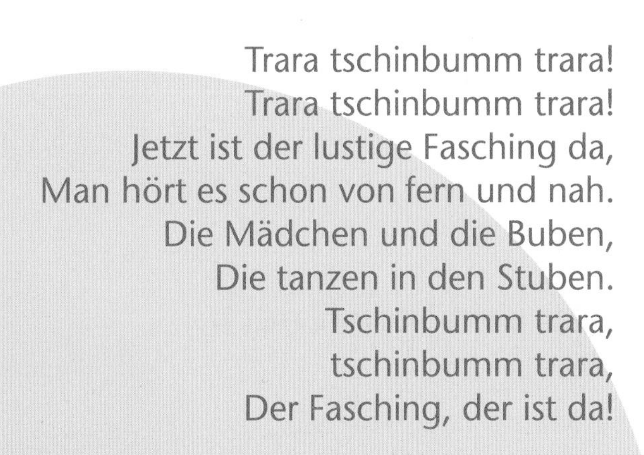

Trara tschinbumm trara!
Trara tschinbumm trara!
Jetzt ist der lustige Fasching da,
Man hört es schon von fern und nah.
Die Mädchen und die Buben,
Die tanzen in den Stuben.
Tschinbumm trara,
tschinbumm trara,
Der Fasching, der ist da!

Muttertag

CD 2•63-65

Am zweiten Sonntag im Mai ist Muttertag. Anna bringt ihrer Mutter das Frühstück ans Bett und sagt ihr das Gedicht vor.

12
Mai
Sonntag

Hör zu und sprich nach.

Liebe Mama, hör' mir zu,
Niemand ist so lieb wie du.
Und nun geb' ich dir zum Schluss
Einen zuckersüßen Kuss.

Was gehört noch zum Muttertag?
Hör zu und sprich nach.

der Kuss

der Blumenstrauß

die Pralinen

die Glückwunschkarte

Heute ist dein schönster Tag

Worüber freut sich Mama am meisten?
Blumen, Glückwunschkarte oder ein schönes Gedicht?

CD 2•66

Heute ist dein schönster Tag,
Muttertag ist heute.
Bringe dir den Glückwunsch dar,
dir zur großen Freude.
Liebe Mutti, hör mir zu,
was ich dir heut' sage:
Habe dich von Herzen lieb,
heut' und alle Tage.

Wir spielen Theater

CD 1•64

Alle Buchstaben sind Freunde

E 1: Hallo! Guten Morgen!

Alle: Hallo! Hallo? Wer bist du?

E 1: Ich bin E. Ich heiße E.

Alle: E?

E 1: Ja. E wie Ente. E wie Esel. E wie Elefant.

I: Hallo, Leute. Ich bin I.

Alle: Hallo, I. Hallo! Hallo!

E 1: Du bist aber dünn!

I: Na und? Ich mache viel Sport. Sport ist toll. Guck mal, ich kann springen. So und so und so. Lass uns Freunde sein!

Alle: EI, EI, EI wie Straußenei, wie Entenei. Toll! Prima! Super!

N 1: Hallo zusammen! Ich bin N.
Das ist mein Bruder.

N 2: Hallo. Ich heiße auch N. Wir sind Zwillinge.
Lass uns Freunde sein.

S: Hallo zusammen! Ich bin S.

Alle: Hallo, S.

N 1: Du bist so rund, so dick!

S: Na und? Ich habe immer
Hunger. Und ich habe Durst.
Ich mag Schokolade und Kuchen und Pizza.
Und ich trinke gern Limo. Mmm. Lecker!

Alle: Komm, S! Lass uns Freunde sein.

S: Au ja.

N 1: Nein, nein, nein, das mag ich nicht. Ich mag das nicht.

EINS

Alle: Ooo, eine EINS. Eins. Eins! Toll! Prima.

N 2: Nein, das mag ich auch nicht.

EIS
N

Alle: Ooo, EIS, EIS. Wie Schokoeis, Vanilleeis! Mmmm. Lecker!
Eis wie Eishockey. Wir spielen gern Eishockey.
Wir laufen gern Schi und Schlittschuh.

R: Hallo zusammen! Guten Morgen!

E 1: Wer bist du denn?

R: Ich bin R. Ich heiße R. R wie rot. R wie richtig.

E 1, I: Komm, R! Lass uns Freunde sein.

R: O.K.

REIS

Alle: Ooo, REIS, REIS. Das schmeckt gut.

E 1: Ich mag Reis mit Gemüse.

I: Und ich mag Reis mit Milch.

S: Und ich – Reis mit Schokolade. Mmm. Lecker!

E 1: Da kommt mein Bruder. Hey, hallo Bruder!

Alle: Dein Bruder? Das kann nicht sein!
Wie heißt er denn?

E 2: E. Ich heiße auch E.

S: Interessant! Komm, E!
Lass uns Freunde sein.

E 2: Au ja. Gern!

E

REISE

Alle: REISE! Die Reise! Wir gehen zusammen auf die Reise.

S: Aber wohin? Wohin gehen wir denn?

Alle: Auf den Spielplatz? In den Zoo?

E 2: Nein.

E 1: Au ja, ich weiß, wir gehen ins Schwimmbad.
Das Wetter ist so schön!

Vormittags, abends, im Freien, im Zimmer ...
Wann Freunde wichtig sind? Eigentlich immer!

E 2: Nein, wir machen eine richtige Reise.
Eine Reise in die Welt der Buchstaben,
in die Welt der Sprache.

S: Da können wir viel lernen.

I: Wir können lesen und schreiben.

N 1, 2: Und wir können viel spielen.

Alle: Na dann. Gute Reise! Gute Reise!